La véridique histoire de
Destructotor

**Données de catalogage
avant publication (Canada)**

Tremblay, Carole, 1959-
La véridique histoire de Destructotor
Pour enfants.

ISBN 2-89512-142-7 (br.)
ISBN 2-89512-143-5 (rel.)

I. Jolin, Dominique, 1964 - . II. Titre.

PS8589.R394V47 2000 jC843'.54 C00-940554-2
PS9589.R394V47 2000
PZ23.T73Ve 2000

Éditrice : Dominique Payette
Directrice de collection : Lucie Papineau
Conception graphique : Primeau & Barey

Dépôts légaux : 3e trimestre 2000
Bibliothèque nationale du Québec
Bibliothèque nationale du Canada

Imprimé au Canada
10 9 8 7 6 5 4 3 2

Dominique et compagnie
300, rue Arran
Saint-Lambert (Québec) J4R 1K5
Téléphone : (514) 875-0327
Télécopieur : (450) 672-5448
Courriel : info@editionsheritage.com

Nous remercions le Conseil des Arts du
Canada de l'aide accordée à notre programme
de publication, ainsi que la SODEC et le minis-
tère du Patrimoine canadien.

À Victor, Gabou et Stéphane,
dans l'ordre ou dans le désordre

La véridique histoire de
Destructotor

Carole Tremblay • Dominique Jolin

Dominique et compagnie

Quand Victor est né, tout le monde s'est extasié.

— Oh! le beau bébé!

— Tout le portrait de son père.

— Avec le nez de sa mère.

— Et les gencives de grand-père.

— Comme il va ressembler à sa sœur qui, elle,
a les oreilles de grand-mère et les doigts
de pied de l'oncle Jérôme!

Sa sœur, c'est moi. Et j'ai vu au premier coup d'œil
que Victor était un monstre.

Mais personne ne me croyait. Tout le monde
disait que j'étais jalouse et que c'était normal. Ce n'est
que plus tard qu'ils ont admis que j'avais raison.

À cette époque, c'était le bon temps, Victotor était encore incapable de tenir un objet entre ses petites mains.
Tout ce qu'il pouvait faire, c'était hurler.

Et quand je dis hurler, je pèse mes mots.

Même les voisins du huitième devaient mettre des bouchons dans leurs oreilles.

C'est d'ailleurs papa, un homme courtois, qui les avait distribués.

Hélas, cette belle époque n'a pas duré.

Hurlototor allait avoir quatre mois quand il a agrippé
son premier jouet. Un pauvre hochet innocent,
tout rose et bleu bébé, qui m'avait appartenu, paraît-il,
quand je portais des couches.

Le jouet a survécu dix minutes entre
ses pattes de brute.

Après avoir fracassé les lunettes de maman en
lui assenant le coup du siècle, Monstrototor l'a projeté
dans le chaudron de soupe bouillante.

Pas maman, évidemment. Le hochet.

Après, tout est allé de plus en plus mal. On ne pouvait plus traverser la pièce où le monstre se trouvait sans recevoir des projectiles. Catapultotor lançait tout ce qui lui passait par la main. Quand il ne trouvait plus rien, il se déshabillait et lançait ses vêtements. La pire fois, c'est quand j'ai reçu sa couche en pleine figure.

Papa, qui est un homme prudent,
nous a tous confectionné des casques spéciaux
pour nous protéger.

Un jour, Dégoûtotor a commencé à manger.
J'ai cru que maman ne survivrait
pas à cette épreuve. Je pense qu'il n'y a pas
un mur de la maison qui n'ait goûté
à la purée.

Papa, qui est un homme pratique, a réaménagé
la cuisine. Il a installé des essuie-glaces
géants sur tous les murs, en plus
de jets d'eau pour tout nettoyer facilement
après chacun des repas de la bête.

Quand mon petit frère s'est mis
à ramper, j'ai commencé à faire des
cauchemars la nuit. Impossible
d'y échapper : il pouvait se rendre
jusqu'à ma chambre et tout y démolir.
J'ai demandé à maman d'acheter
des chaînes et des serrures.

Au début, elle ne voulait pas.
Mais quand Destructotor a éventré
mon oreiller avec mon stylo à
douze couleurs… elle a dit que,
finalement, ce ne serait
peut-être pas une mauvaise idée
de fermer la porte à clé.

Papa, qui est un fin bricoleur, a installé
tout ce que je voulais.

À huit mois, Démolitotor avait détruit les trois quarts de sa collection de jouets. Des objets d'une grande valeur sentimentale et historique, puisque je m'étais moi-même amusée avec eux quand j'étais bébé.

Le canard qui faisait couic-couic avait fondu sur le radiateur.

L'hippopotame de peluche était devenu sourd et aveugle.

Le clown de bois avait été transformé en jeu de construction.

Papa, qui est un homme sensé, a décrété qu'il ne fallait plus lui donner de jouets fragiles. J'ai trié tout le contenu du coffre à jouets pour ne lui laisser que les objets vraiment solides.

Comme il n'y en avait pas beaucoup, maman a décidé de le laisser jouer avec les ustensiles de cuisine.

Erreur, fatale erreur. Frappototor s'est mis à cogner
avec ses nouveaux jouets. Il a démoli la commode avec
le rouleau à pâtisserie. Il a râpé le fauteuil du salon
avec l'épluche-légumes. Il a lancé la passoire par la fenêtre
de la salle à manger. C'est madame Guérin, notre
voisine, qui l'a reçue sur la tête. Il a fallu une bonne
demi-heure pour arriver à la lui retirer.

Aux grands maux les grands remèdes, s'est écrié papa,
qui est un homme plein d'idées. Il a posé des
barreaux à toutes les fenêtres. Il a aussi installé des
coffres-forts à la place des armoires de cuisine.

Maman a dû apprendre douze douzaines
de numéros pour pouvoir ranger la vaisselle.

À un an, Destructotor s'est mis à marcher.
Et, pire encore, à grimper ! Maman était en train
de perdre la voix à force de
toujours crier :
— Ahhhhhh ! Non ! Victor ! Ne fais pas ça !!!!

Papa, qui est un homme astucieux, lui a procuré un micro
pour qu'elle économise ses cordes vocales.

Le jour où le petit diable a mis le porte-monnaie
de maman dans le robot culinaire, j'ai cru qu'elle allait
avoir une attaque. C'est là que je me suis fâchée.

J'ai pris le filet de pêche de papa et j'ai enroulé
Griffototor dedans.

Papa, qui est un homme intelligent, a reconnu
que j'avais eu une bonne idée. Il a installé des petites
trappes au plafond. Quand on tire sur la corde,
le filet tombe et attrape la bête. Papa a dit qu'il allait
bientôt perfectionner son système avec des
commandes à distance.

Quand Brise-Toutotor a eu un an et demi, son jeu favori
consistait à dérouler le papier hygiénique dans toute la maison.
Maman le laissait faire. Elle riait en disant qu'il jouait
à la momie.

Quand il a jeté des rouleaux complets de papier dans
la cuvette, qu'il a actionné la chasse et que l'eau a débordé,
elle a moins rigolé.

Papa, qui est plombier à ses heures, a installé un gros bouchon de baignoire au milieu de la salle de bains, au cas où le petit coquin aurait encore envie de jouer à l'inondation.

À deux ans, Herculototor avait la fâcheuse habitude de traîner le lit des parents dans l'escalier. Papa, qui est habile du marteau, a résolu le problème en clouant au sol tous les meubles de la maison.

À trois ans, mon frère était tellement fort qu'il me battait au bras de fer. Maman lui demandait d'ouvrir les pots de confiture qui lui résistaient. Et papa lui faisait transporter son coffre à outils.

Quand il a eu quatre ans et qu'il s'est mis à parler couramment
le français, Victor est devenu moins dangereux. Maman
commençait à penser qu'on pourrait reprendre une vie normale.
C'est à ce moment que papa, qui est pourtant un excellent
travailleur, a perdu son emploi. Comme on n'avait plus de sous,
on a dû vendre la maison. Maman se désolait.

— Qui voudra acheter une maison avec des trappes au plafond et des essuie-glaces sur les murs ?

Quand le monsieur de l'agence est venu visiter, il a crié au génie !
— Mais c'est parfait pour élever des gorilles ! C'est un concept extraordinaire !

Maintenant, papa fait fortune dans la construction de maisons pour gorilles. Et Victor l'aide. Il démolit les murs et les plafonds que papa refait par la suite.

Victor a beaucoup de copains chez les gorilles. Chez les gorilles du monde entier. Parce que, grâce au nouveau travail de papa, on a beaucoup voyagé. On a vu les quatre coins de la terre. Et plus encore… Il paraît qu'ils vont bientôt construire une maison pour gorilles sur la planète Mars, où des scientifiques font des expériences.

Au fond, maintenant qu'il a vieilli,
je le trouve très bien, mon petit frère.
Surtout que, depuis qu'il est grand,
il ne casse plus rien.

Enfin, presque…